Batuque, Samba e Macumba

Cecília Meireles

Estudos de Gesto e de Ritmo 1926-1934

Introdução
Lélia Gontijo Soares

Coordenação Editorial
André Seffrin

São Paulo
2019

3ª Edição, Global Editora, São Paulo 2019

Jefferson L. Alves – diretor editorial
Gustavo Henrique Tuna – gerente editorial
André Seffrin – coordenação editorial e estabelecimento de texto
Flávio Samuel – gerente de produção
Flavia Baggio – assistente editorial
Érika Cordeiro Costa – revisão
Eduardo Okuno – projeto gráfico

Obra atualizada conforme o
NOVO ACORDO ORTOGRÁFICO DA LÍNGUA PORTUGUESA.

CIP-BRASIL. CATALOGAÇÃO NA PUBLICAÇÃO
SINDICATO NACIONAL DOS EDITORES DE LIVROS, RJ

M453b
3. ed.

Meireles, Cecília, 1901-1964
Batuque, samba e macumba : estudos de gesto e de ritmo, 1926-1934 / Cecília Meireles ; introdução Lélia Gontijo Soares. - 3. ed. - São Paulo : Global, 2019.
112 p. : il. ; 28 cm.

Inclui índice
ISBN 978-85-260-2180-8

1. Folclore dos negros - Rio de Janeiro (RJ). 2. Trajes - Rio de Janeiro (RJ). 3. Umbanda. 4. Danças folclóricas - Rio de Janeiro (RJ). I. Soares, Lélia Gontijo. II. Título.

19-58099 CDD: 398.098153
CDU: 398(815.3)

Meri Gleice Rodrigues de Souza - Bibliotecária CRB-7/6439

global editora e distribuidora ltda.
Rua Pirapitingui, 111 – Liberdade
CEP 01508-020 – São Paulo – SP
Tel.: (11) 3277-7999
e-mail: global@globaleditora.com.br
www.globaleditora.com.br

Nº de Catálogo: **3778**

Batuque, Samba e Macumba

Estudos de Gesto e de Ritmo 1926-1934

Cecília Meireles —

Gm.
1932

Sumário

...sem ella
perceber,
para não
estrillar...
1933

Nota à segunda edição

Este livro originou-se dos estudos de gesto e de ritmo realizados por Cecília a partir de 1926, os quais registram, em boa parte, motivos ligados ao carnaval.

A reunião dos desenhos e estudos resultou em uma importante exposição, inaugurada na sede da Pró-Arte, no Rio de Janeiro, em 18 de abril de 1933, com grande repercussão à época. Já em 1934, quando de sua primeira viagem a Portugal, Cecília proferiu três conferências em Lisboa. A segunda delas, realizada em 17 de dezembro de 1934, no Clube Brasileiro, tinha como tema o folclore negro no Brasil e foi ilustrada com uma exposição dos desenhos da poeta. Tal conferência recebeu o título de *Batuque, samba e macumba* e em seu primeiro parágrafo a própria Cecília informava que: "As rápidas palavras desta conferência destinam-se a servir de legenda aos desenhos aqui expostos em que se encontra fixado o ritmo do batuque, do samba e da macumba – e a indumentária característica da 'baiana' do nosso carnaval."

Tão grande foi a repercussão daquela conferência/exposição que, em 1935, ela foi publicada em separata da revista *Mundo Português* e ilustrada por alguns dos desenhos reproduzidos em preto e branco. Em 30 de novembro de 1983, em comemoração aos cinquenta anos da primeira exposição dos desenhos e contando com os patrocínios da Funarte e do Banco Crefisul, *Batuque, samba e macumba* foi lançado como livro, em grande formato, no *foyer* da Sala Cecília Meireles.

Imprimiram-se, então, duas edições simultâneas, em português e em inglês. A circulação da obra deu-se, no entanto, de maneira excessivamente restrita, uma vez que as tiragens – ainda que generosas – destinaram-se, quase exclusivamente, à distribuição entre os clientes do banco.

Ao se completarem, agora, os setenta anos da primeira apresentação pública daqueles primorosos desenhos de Cecília, eles se tornam – finalmente e realmente – acessíveis ao público, *legendados* com o texto que lhes deu unicidade e nome, nessa muito bem cuidada edição que, mantendo o conceito da primeira fixação, presenteia os seus leitores com a mesma opção de escolha do idioma.

Alexandre C. Teixeira

Introdução

Este livro vem trazer à tona dois aspectos relativamente inéditos da obra de Cecília Meireles – que todos conhecemos como um dos maiores poetas contemporâneos de língua portuguesa – o seu trabalho de folclorista e o seu dom indiscutível para o desenho.

Longe de constituírem veredas que a divertissem de uma visão essencial da vida – essa que constitui o cerne mesmo da experiência poética – tanto os estudos de folclore como a prática do desenho corresponderam, em Cecília, a uma necessidade de entendimento e de expressão do mundo íntegra, una. Àquela necessidade de "saber o nome certo das coisas" referida por ela, e que pode ser atingida "mais especificamente pela palavra" mas também, acrescentamos, pelo desenho, pelo gesto, ou pela "arte de um educador de se fazer presente na alma de seus alunos", para usar ainda uma expressão sua.

Lembro aqui a atividade de educadora, igualmente indissociável da múltipla e íntegra Cecília, que remete também a uma idêntica paixão – "quem trata com a juventude deve saber ser jovem", "descobrir como as crianças pensam" –, a paixão de transportar-se para o outro, exilar-se no outro, ver com os olhos dele para melhor apreendê-lo e com ele se relacionar. Foi com certeza a atividade de educadora que ela tão longamente exerceu que a levou, de início, ao interesse pelos estudos de folclore. De 1930 a 1934 nós a encontramos assinando matérias sobre educação no *Diário de Notícias.*

Em 1932, ao comentar o Manifesto da Nova Educação, Cecília observa que o mesmo faz "voltar as vistas dos que o leram para a nossa realidade humana e brasileira". Não será pois de estranhar que nessas mesmas matérias sobre educação ela venha a escrever, ainda em 1932, sobre folclore, citando a experiência da também educadora Gabriela Mistral sobre o que denominará textualmente mais tarde de "o conhecimento do 'povo' em suas manifestações de vida".

Publicando em *A Manhã*, de 1942 a 1944, matérias regulares sobre folclore infantil, Cecília passa a ser considerada autoridade no assunto, e é convidada para integrar a Comissão Nacional de Folclore criada no Instituto Brasileiro de Educação Ciência e Cultura (IBECC) em 1947. O seu discurso na III Semana de Folclore de Porto Alegre, em 1950, reitera explicitamente a relação que para ela existia entre folclore e educação: "Foi, portanto, pelo folclore infantil que me dediquei em primeiro lugar, também como uma derivação das minhas funções de professora e foi assim que não só recolhi as versões da literatura infantil ainda existentes no Rio de Janeiro, como procurei confrontá-las com outras dos Estados, e daí por diante estabeleci algumas comparações com o folclore infantil da América e o folclore infantil ibérico". No I Congresso Brasileiro de Folclore, realizado no ano seguinte no Rio de Janeiro, onde exerceu a função de Secretária-Geral, Renato Almeida dá ênfase às suas duas principais recomendações: a impregnação da disciplina do folclore na instrução ministrada pelas escolas e o incentivo à criação de museus de arte popular como um dos meios para atingir esse objetivo.

Não se circunscreveram unicamente às investigações dirigidas à vida infantil, contudo, os interesses de Cecília pela cultura popular. Foi ela igualmente um dos primeiros folcloristas a debruçar-se de maneira regular sobre a cultura material do povo, como bem o demonstram os textos que escreveu para *As artes plásticas no Brasil*, obra organizada por Rodrigo M. F. de Andrade, assim como *Aspectos da cerâmica popular*, publicado em *Folclore*.

O seu interesse pelas artes populares foi permanente durante toda a sua vida. Dá a dimensão do seu gosto pelo assunto a pequena exposição de arte popular que realizou em sua casa nos dias 16, 17 e 18 de março de 1948, com objetos provenientes de diversos Estados do Brasil, bem como de artesanato sul-americano, europeu, africano e asiático.

A familiaridade do grande poeta de *Mar absoluto* com a experiência da visualidade nos traz finalmente à essência deste livro: a imagem.

Conhecemos, a partir de 1924, desenhos assinados de Cecília Meireles. Certamente contribuiu para reforçar essa sua inclinação o seu convívio com o primeiro marido, o talentoso desenhista e ilustrador português Fernando Correia Dias de Araújo (1892-1935), que Herman Lima, em sua *História da caricatura*, revela como "humorista decorador", e que deu larga colaboração à imprensa carioca e à ilustração de livros nas décadas de 1920 e 1930. De 1924 a 1934, cobrindo, portanto, um período de dez anos, Cecília Meireles teria desenhado regularmente. Os seus desenhos mais seguros e realizados serão com certeza os dos anos 1930, tanto pelo domínio do traço como pela justeza na aplicação da aquarela. Em abril de 1933, Cecília resolveu expor uma série deles na Pró-Arte do Rio de Janeiro. *O Malho* estampou em edição do dia 24 a fotografia da mostra, que reproduzimos aqui, e *A Nação*, em nota do dia 13, informa que "a interessantíssima exposição de Cecília Meireles fixando os ritmos do samba através de uma grande coleção de desenhos, aquarelas e estudos, bem como as figuras típicas da baiana e do bamba, se dará em pleno Sábado de Aleluia, juntamente com o concurso da Escola Portela".

Durante os dez anos da sua prática regular do desenho, foram principalmente estudos de gesto, ritmo e indumentária de baianas, bem como de bambas, que a autora deste livro realizou.

Ao espírito democrático de Cecília, o negro brasileiro apareceu sempre sob a luz real das suas qualidades, sem que ela, no entanto, abolisse o que poderiam ser considerados os seus aspectos negativos, como bem comprova este seu texto sobre a macumba. A legenda *Nigra sum sed formosa*, aposta a um dos desenhos deste livro, vem enfatizar, sem maniqueísmo, o *black is beautiful* com que os negros hoje tomam consciência do seu valor e da sua irradiante criatividade. Sem dúvida, em 1933, Cecília ainda não teria se aplicado de maneira sistemática, com seu método habitual de trabalho, aos estudos de folclore, mas a sua intuição de liberal, aliada à sua sensibilidade de artista, certamente a levaram a indicar o que nesse mesmo ano – 1933 – Gilberto Freyre magistralmente analisava em *Casa-grande & senzala*: a importância da contribuição do negro na formação da cultura brasileira.

A conferência com que Cecília acompanhou em Portugal, no ano seguinte, os desenhos aqui estampados, e que como bem observou Fernanda Correia Dias, autora deste projeto gráfico, funciona como "ilustração" à imagem, é explícita na sua intenção de resgatar a figura do negro dos preconceitos existentes contra ele: "Dentro do carnaval carioca, inegavelmente licencioso e grosseiro, como em toda a parte, na expansão das pessoas habitualmente civilizadas – o carnaval dos negros guarda um aspecto único de respeito, elegância e, digamos mesmo, distinção artística espantosa. O que eles chamam *orgia*, palavra tão frequente nas canções de carnaval dos últimos tempos, é a longa passeata com cantorias e luzes, estandartes e feras de papelão, do subúrbio ao centro da cidade, horas e horas, com descanso nas rodas de samba, copos de cerveja ou refresco e um extenuamento completo, pela madrugada, estendidos nas calçadas entre brilhos de sedas e colares, à espera da condução que os transporte a casa."

É preciso que se ponha ainda reparo, aqui, no grande interesse de Cecília pelo carnaval. Em crônica do *Diário de Notícias*, de 7 de fevereiro de 1932, ela comentava sobre as aparentes contradições reveladas em geral na escolha da fantasia. "É apenas uma incerteza, no mesmo sonho de libertação. Na maneira de se definirem a si mesmos. [...] Nós temos amigos excelentes que o ano inteiro nos parecem sem ambições ou inquietudes. No dia de carnaval entram-nos porta adentro declarando que são um dos quatro cavaleiros do Apocalipse, Nero, Sesostris, Harum Al-Rashid ou Napoleão. [...] Agora, as criaturas que todo o mundo considera ambiciosas, autoritárias, pedantes, essas é que costumam causar maior surpresa. Porque, em vez de aparecerem com as sedas, as lantejoulas, e as espadas, e os cetros, e os diademas que o mundo inteiro lhes atribui, metem-se numa roupa de marinheiro, num pijama ou num macacão de mecânico e vão ver as tendências heráldicas dos outros. Quem não quer ver, ou não sabe, acha tudo isso absurdo, e fica indignada com o carnaval. Mas as pessoas que se interessam pela educação devem procurar entender o fenômeno. Porque daí se podem tirar muitas conclusões."

Ora, guardadas as distâncias de tempo e de especificidade profissional, é o que nos reitera, agora sob a luz da antropologia, Roberto DaMatta, em *Carnavais, paradas e procissões*: "No carnaval a roupagem apropriada é a fantasia, um termo que em português do Brasil tem um duplo sentido, pois tanto se refere às ilusões e idealizações da realidade quanto aos costumes usados somente no carnaval. [...] O contrário ocorre na fantasia carnavalesca, que revela muito mais do que esconde, já que uma fantasia representando um desejo escondido faz uma síntese entre o fantasiado, os papéis que representa e os que gostaria de representar." "Como consequência", acrescenta DaMatta, "as fantasias carnavalescas criam um campo social de encontro, de mediação e de polissemia social, pois, não obstante as diferenças e incompatibilidades desses papéis representados graficamente pelas vestes, todos estão aqui para 'brincar'." Assim, segundo DaMatta, é que "o pobre se transforma simbolicamente em nobre, é porque não quer (ou não pode) abrir mão do momento compensatório que lhe proporciona o carnaval". Vemos assim que a jovem Cecília teve a intuição da inversão de *status* que ocorre no Carnaval, e que ao desenhar na década de 1930 os carnavalescos fantasiados de faraó, de músico persa, de dançarino egípcio, que ilustram esta introdução,[1] já amadurecia o seu texto de 1952 sobre *Artes populares*: "O que somos, como povo, está em síntese, no carnaval e na Semana Santa. Oscilamos entre esses dois polos, com toda a prodigiosa e perturbadora riqueza que concentram."

O que claramente discernimos em Cecília, para além de qualquer especulação teórica, é um gosto muito especial pelo concreto, um gosto muito etnográfico mesmo, que a faz descrever fielmente o traje da baiana no Rio de Janeiro, bem como diversas representações coletivas da cultura material em seu criteriosíssimo texto para *As artes plásticas no Brasil*. O minucioso estudo sobre a cerâmica popular que escreveu para *Folclore*, de 1953, demonstra também estar ela perfeitamente informada sobre a tecnologia da olaria.

Nessa perspectiva de registro cuidadoso e atento, veremos que as baianas que Cecília descreve e desenha circulavam realmente no Rio de Janeiro nas décadas de 1920 e 1930: a baiana quituteira, que ainda hoje encontramos em nossa cidade; a baiana de carnaval, "a cabrochinha sestrosa", dos blocos e ranchos; e a baiana que serve de "cavalo de santo" nos terreiros. Nas décadas de 1920 e 1930, Cecília foi espectadora da transformação, no Rio, dos ranchos em escolas de samba. E espectadora interessada e participante, como se pode depreender da numerosa coleção das letras de músicas do ano de cada carnaval que encontramos cuidadosamente guardadas em seus arquivos.

---

1 Nesta edição, esses desenhos encontram-se, respectivamente, nas páginas 5, 1 e 12. (N.E.)

Maria Julia Goldwasser, apontando também a década de 1920 para a configuração das escolas de samba, assinala que estas "apareceram num período bem fluido da música popular brasileira". E que "as escolas de samba permaneceram longo tempo como associações flutuantes, ora confundidas com blocos, ora denominadas escolas de samba". Segundo os sambistas informantes de Goldwasser, adviriam as escolas de blocos que assimilaram o modelo de apresentação processional dos ranchos, bem como o seu enredo.

Edison Carneiro, em *Folguedos tradicionais*, diz-nos que o "berço da escola de samba foi o Largo do Estácio, e sua primeira apresentação em público se fez na antiga Praça Onze, nos anos 1920. Era o resultado inesperado, mas feliz, da fusão de três elementos distintos: a música popular, urbana, entre brejeira e lamentosa, que então começava a assumir características locais; o samba de roda, trazido por emigrados da Bahia, e os ranchos de Reis."

Na sua *História do carnaval carioca*, Eneida faz referência às respostas que logo deu Jota Efegê ao texto de Edison Carneiro que acabamos de citar. "Se bem que lendo ambos", resume ela, "cheguemos à conclusão de que estavam de acordo: a origem das escolas de samba é o rancho carnavalesco; o rancho carnavalesco originou-se no rancho de Reis. E se alguém quiser ir mais longe, buscando o fio da meada, poderá encontrar em Renato Almeida que os 'ranchos eram cordões civilizados' e os 'blocos mistos de cordões e ranchos'."

Jota Efegê, em seu já clássico *Ameno Resedá*, comenta a transição da turbulência dos cordões e dos blocos para o cortejo organizado artística e musicalmente dos ranchos. Esclarece que antes do aparecimento do *Ameno Resedá*, em 1908, com o cortejo "Corte Egipciana", a denominação rancho "tinha sentido genérico, querendo dizer grupos, conjuntos de várias modalidades, tais como cucumbis, afoxés, etc., tudo muito influenciado pelo africanismo presente nos festejos carnavalescos". Concluindo "que não eram, entretanto, apenas os pretos que se valiam do tríduo de Momo e do afrouxamento da separação de classes para realizar seus divertimentos".

Yvonne Maggie Alves Velho, em *Guerra de Orixá*, define a categoria *macumba* como usada para designar a religião de possessão em termos amplos. Naturalmente tal designação é válida em seu livro apenas para o grupo estudado pela antropóloga, mas a nossa experiência indica que termos como umbanda, macumba, espiritismo podem constituir realmente, no Rio de Janeiro, categorias amplas.

A descrição de macumba que Cecília preparou para a sua conferência em Portugal baseia-se sem dúvida em sua experiência de observadora e reflete a tendência generalizadora e as preocupações com a questão das *origens* africanas desse ritual, então vigentes em todos os estudos de folclore no Brasil à época.

No pequeno espaço desta introdução, para além da discussão teórica do "sincretismo", da "africanidade" ou da "negritude" da macumba, interessa-nos ainda apontar outra importante tônica dos desenhos deste livro: a sua intenção explícita de configurar estudos de gestos e de ritmo. Estes desenhos, além de sua beleza, podem constituir-se assim em primeiros documentos de práticas e linguagens gestuais do samba e dos terreiros cariocas para as décadas de 1920 e 1930, se entendermos o corpo humano como um objeto de percepção, com qualidade de significante.

Cecília atinou para a importância cultural dos gestos, a partir de Marcel Mauss retomada hoje com particular ênfase pelas ciências sociais.

Koechlin, em *Técnicas corporais e sua notação simbólica*, reclama um adensamento dos estudos sobre as posições e os movimentos socializados do corpo humano, a começar pelo inventário descritivo dos costumes corporais tradicionais de uma comunidade. Vários especialistas, como Vera Proca Ciortea e Anca Giurchescu, já se têm detido na análise desse objeto. Os *dancemas*, meio sintético de fixação dos movimentos do corpo, já constituem, agora, uma espécie de notação estenográfica da qualidade dos movimentos, orientação e deslocação espacial do dançarino.

Concluindo, resta-nos fazer breve referência, na obra de Cecília, às suas maravilhosas memórias de infância – *Olhinhos de gato* –, publicadas pela primeira vez em *Ocidente*, de 1939 a 1940.[2]

---

2 Agora publicadas pela Global Editora. (N.E.)

A leitura desse livro, aberta a todas as idades, constitui fonte valiosa para o registro de costumes cariocas na primeira década do século XX. Ali o carnaval, a Semana Santa, os batuques, entre outros, são abordados sem qualquer laivo de exotismo, sem qualquer estranhamento. Muito pelo contrário, aparecem entremeados à crônica afetiva de um cotidiano familiar e urbano, cuja veracidade, sem prejuízo do seu caráter histórico, torna-se ainda mais nítida pela transfiguração que lhe é conferida pela palavra poética, essa sim que valoriza como únicos cada momento, cada gesto e principalmente cada criatura recorrente no texto.

Uma vez traçado este primeiro perfil da Cecília Meireles folclorista, cuja presença honra o corpo de especialistas dedicado ao estudo da cultura popular em nosso país, cabe-nos agradecer às suas filhas, Maria Mathilde, Maria Fernanda e Maria Elvira, o apoio afetuoso e indispensável que deram à elaboração deste trabalho, e ao Banco Crefisul, na pessoa de Henrique Sérgio Gregori, a possibilidade imediata de multiplicá-lo na forma de livro.

Lélia Gontijo Soares
Diretora do Instituto Nacional do Folclore

Bibliografia

ALMEIDA, Renato. *O IBECC e os estudos do folclore no Brasil.* Rio de Janeiro: Comissão Nacional de Folclore do IBECC, 1964.

CARNEIRO, Edison. Escolas de samba. In:______. *Folguedos tradicionais.* Rio de Janeiro: Funarte/Instituto Nacional do Folclore, 1982.

DAMATTA, Roberto da. Carnavais, paradas e procissões: reflexões sobre o mundo dos ritos. *Religião & sociedade*, São Paulo, Hucitec, n. 1, maio 1977.

EFEGÊ, Jota. *Ameno Resedá:* o rancho que foi escola. Rio de Janeiro: Letras e Artes, 1965.

ENEIDA. *História do carnaval carioca.* Rio de Janeiro: Civilização Brasileira, 1958.

GOLDWASSER, Maria Julia. *O palácio do samba*: estudo antropológico da escola de samba Estação Primeira de Mangueira. Rio de Janeiro: Zahar, 1975.

KOECHLIN, Bernard. Técnicas corporais e sua notação simbólica. In: GREIMAS, A. J. et al. *Práticas e linguagens gestuais.* Lisboa: Editorial Vega, 1979.

MEIRELES, Cecília. A arte do educador é a de se fazer presente na alma de seus alunos. *Diário de Notícias*, Rio de Janeiro, 27 nov. 1931.

______. Artes populares. In: ANDRADE, Rodrigo M. F. de (Org.) *As artes plásticas no Brasil.* Rio de Janeiro: Sul América e Banco Hipotecário Lar Brasileiro, 1952.

______. Aspectos da cerâmica popular. *Folclore*, São Paulo, v. 2, n. 4, 1953.

______. Batuque, samba e macumba. Separata de *Mundo Português*, Lisboa, 1935.

______. Carnaval. *Diário de Notícias*, Rio de Janeiro, 17 fev. 1932.

______. *Cecília Meireles e o Folclore.* Rio de Janeiro, Comissão Nacional de Folclore, do Instituto Brasileiro de Educação, Ciência e Cultura - IBECC, da Unesco, 1964. (Doc. 516, de 3 dez. 1964)

______. Manifesto da nova Educação. *Diário de Notícias*, Rio de Janeiro, 10 jul. 1932.

______. *Olhinhos de gato.* São Paulo: Moderna, 1981.

______. 13 de maio. O preconceito das raças não desapareceu totalmente. *Diário de Notícias*, Rio de Janeiro, 13 maio 1932.

PROCA CIORTEA, Vera e GIURCHESCU, Anca. Alguns aspectos teóricos da dança popular. In: GREIMAS, A. J. et al. *Práticas e linguagens gestuais.* Lisboa: Editorial Vega, 1979.

VELHO, Yvonne Maggie Alves. *Guerra de orixá*: um estudo de ritual e conflito. Rio de Janeiro: Zahar, 1975.

Batuque, Samba e Macumba

Exposição Cecília Meirelles

Estudos de Gesto e de Ritmo
1926-1934

As rápidas palavras desta conferência destinam-se a servir de legenda aos desenhos aqui expostos, em que se encontra fixado o ritmo do batuque, do samba e da macumba – e a indumentária característica da "baiana" do nosso carnaval.

Porque essa indumentária derive de um dos maiores e progressivos Estados do Brasil, é necessário frisar, antes de mais nada, não constituir, no entanto, atualmente, um trajo regional, nem ser encontrado mais, em dias comuns, com a garridice de cores e a exuberância de ornatos apresentadas nos desenhos, pois mesmo as velhas baianas que ainda o conservam, como resto de uma tradição em via de desaparecer, preferem-no sempre em tons discretos de cinza, violeta, azul-escuro; e, de ornamentos, não ostentam mais que os seus colares de miçangas ou sementes, e alguns braceletes de prata, além da indispensável "figa" – que são, mais do que enfeites, os seus fetiches, as suas "guias" de santo, enfim, a sua proteção contra as ruindades deste mundo e do outro, e, ao mesmo tempo, o sinal distintivo da filiação mágica que lhes corresponde.

Antes de tratarmos, pois, da significação das danças negras aqui exibidas em seus movimentos mais típicos, vamos fazer uma leve descrição dessa indumentária.

igual ao pano
vermelho
amarello
pulseiras amarellas
riscos vermelhos
amarello
carne morena
Cm.
1933

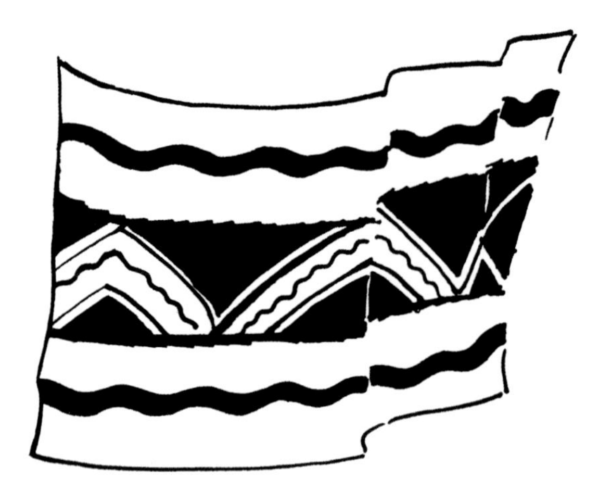

Numa rua do Rio de Janeiro, ainda hoje, não é difícil topar-se, em qualquer dia e a qualquer hora, com uma legítima baiana, de hábitos conservadores, e, geralmente, doceira especialista em cocadas, doces de abóbora e batata, pés de moleque, cuscuz e quindim, amendoim torrado, bolos de milho e aipim, bolinhos de tapioca – o que constitui a deliciosa tentação de todas as crianças cariocas – e suponho que do Brasil todo. Essa velha baiana, se, durante o dia, anda nas compras – e, então, levará uma saia de muita roda, em pano floreado ou não, mas em tons graves, sobre a qual se debruará a renda ou o bordado muito alvo de uma "bata" que desce um pouco abaixo da cintura, com mangas largas que vêm ao meio do antebraço. Terá pelo ombro um grande xaile retangular, de um e meio a dois metros de comprimento, com uma largura de uns oitenta centímetros, atravessado de listras polícromas, entremeadas de algum fio metálico, ou apenas riscado de azul e branco. É o autêntico pano da "Costa" (da costa da África) ou de alguma das suas inúmeras imitações.

CM.
1933

Ao colo dessa velha negra ou mulata, de aspecto geralmente muito simpático e maternal, brilharão fios de miçangas coloridas, ou pedacinhos de madeira ou ainda sementes cinzentas ou vermelhas ou negras, enfiadas em colares de várias voltas, nos quais oscilará a "figa" contra o quebranto, o mau-olhado e outras desgraças, objeto que consiste numa pequena mão talhada em madeira, com todos os dedos fechados, estando o polegar metido entre o índice e o médio. As mais famosas são as legítimas "Figas de Guiné", e a melhor substância contra o mal, o pau de arruda. Quando a carga de ruindade é muito grande, a figa, que lhe serve de escudo, estala. Por não estar nos limites desta conferência, deixamos de entrar em pormenores sobre a origem de semelhante amuleto, lembrando apenas a importância atribuída à mão como exorcismo, em todos os primitivos, e as suas sobrevivências nas religiões constituídas principalmente entre os maometanos, que usam à porta a célebre mãozinha (aliás aberta) e têm uma parlenda contra o quebranto, que diz: "A minha mão direita no teu olho esquerdo, e a minha mão esquerda no teu olho direito" – anulando, assim, com as duas mãos, os raios maléficos do olhar inimigo.

nigra-sum
-sed formosa

Finalmente, como a nossa boa baiana anda nas compras, leva seguramente à cabeça, coberta com um lenço branco, dobrado pela diagonal, aplicado sobre a testa, com duas pontas amarradas à nuca – um cestinho redondo, o balaio, onde pode ir – o quê? – amendoim, açúcar preto, especiarias, as pequenas coisas com que vai preparar os doces que vende à noite. E como vai equilibrando esse cestinho à cabeça, e, às vezes, juntamente com ele, o par de chinelas de salto que lhe estavam fatigando os pés, levanta de quando em quando o braço cauteloso – e faz brilhar suas pulseiras de prata, em fios alternados, lisos e torcidos, bem como algum velho anel com uma história muito antiga de fazendeiros, sinhá véia, sinhá moça, iaiá, ioiô...

1932

À noite, a nossa boa baiana irá para o seu comércio: descerá o morro onde mora, na meia-sombra dos lampiões distanciados; passará pelas ruas movimentadas, riscadas de faróis de automóveis, trepidantes da passagem dos elétricos, que lá se chamam "bondes", e rumará para o seu cantinho habitual, uma esquina de bairro, onde já a espera com ansiedade uma freguesia particularmente composta de crianças que podiam ser netas e bisnetas suas.

A indumentária será a mesma; apenas, à cabeça, irá um tabuleiro de madeira, com os doces empilhados, uma lanterna de vidro, com vela, fogareiro para assar bolinhos de tapioca, que se comem quentinhos, pedaços de papel para embrulhos, facas, colheres e uma latinha ou pequena caixa que desempenha o importante papel de caixa registradora. Leva ao braço um banco desdobrável para pousar o tabuleiro, que passa cheirando a coco e amendoim, coberto com uma grande toalha que – nos melhores casos – tem nas duas pontas uma barra trabalhada em crivo e, em todos, é sempre de uma alvura sedutora.

Cm.
1953

Senta-se, pois, a baiana nas dobras da sua grande saia, num canto da calçada, tendo na sua frente o tabuleiro sobre o banco. Acende a vela da lanterna, pousa o fogareiro no chão, ou, no próprio tabuleiro, remexe-lhe as cinzas, ativa o fogo com um pequeno abano e, para não perder tempo, vai descascando o amendoim que, no dia seguinte, servirá à confecção de novos doces.

Em algumas zonas, aos doces acrescentam-se pastéis, arroz-doce e mingaus servidos em tigelinhas. E há também o tipo da baiana da canjica – milho branco cozido lentamente em água e leite, temperado com açúcar, manteiga, perfumado com cravo e canela – e a do angu, comida tipicamente negra, composto de uma papa consistente de farinha de milho acompanhada de um guisado de miúdos de boi com um molho grosso de pimentas muito ardentes.

É sempre a mesma, a indumentária, nesses casos – podendo a "bata" ser despida, em dias quentes, ficando assim o busto coberto por uma camisa primorosamente trabalhada em bordado de crivo, e os braços nus. O xaile abre-se, então, resguardando o peito e as costas, traçado de um lado para outro, cruzado num dos ombros, ou à altura da cinta, preso por um gancho.

Falta a essa baiana o que foi o grande luxo das de antigamente: o "berrenguendengue", uma argola como as de chaves – para se trazer à cintura, na qual estão enfiados inúmeros talismãs: figa, romã, cruz, signo de salomão, âncora, peixe, carneiro, coração, pinha, galo, pombo – tudo isso em prata lavrada, e com virtudes especiais, que encerram toda uma sabedoria mágica, infelizmente quase perdida.

A baiana de carnaval vem a ser uma estilização da baiana autêntica. Imaginemos que se prepara, num cortiço da rua Estácio de Sá, uma "cabrochinha" sestrosa que vai tomar parte, com esse trajo, no cortejo do bloco "Quem fala de nós tem paixão" ou em outros grupos e ranchos de denominações igualmente curiosas, como os "Caprichosos de estopa", o "Ameno Resedá", as "Mimosas cravinas", a "Miséria e fome", a "Flor do abacate", o "Chuveiro de prata", etc.

Acaba de vestir suas saias brancas, muito duras de polvilho, para armarem a seda colorida da saia de cima. Tem a sua camisa de rendas muito alvas e engomadas, com laçarotes de fita cor-de-rosa enfiada pelos entremeios das alças. Aí está como uma marquesinha do século XVIII, marquesinha cor de chocolate, o cabelo áspero, olhos de esmalte curvo, com muita luz e a boca entreaberta ensaiando a canção do desfile, que pode ser assim: "O meu primeiro amô me abandonou sem tê razão..."

Passa agora a saia colorida, que pode ser em chita ou em seda, lisa ou floreada, mas sempre em tons muito vivos, com muito cor-de-rosa, verde, azul, amarelo, encarnado, roxo, numa variedade surpreendente de matizes.

A saia pode ter uma pala de um palmo, que a ajuste às ancas, ou vir toda franzida do cós. Termina, geralmente, num ou mais folhos, orlados ou não de uma das cores do pano – se é estampado – ou em tom diverso, quando é liso. Pode vestir-se simplesmente sobre as saias engomadas ou, num requinte de faceirice, arregaçar-se ao lado, até a altura do joelho, para deixar ver o primor de rendas e polvilho que ali vai.

Sua hesitação está em sair apenas com a camisa ou vestir-lhe por cima uma pequena blusa solta, estilização da bata, que já não é branca, mas também colorida, quase sempre diferente da saia, chegando apenas à altura da cinta, e orlada de folhos pequeninos em toda a volta e nas mangas.

Já tem nas mãos o grande xaile para se envolver. Como colocá-lo? À maneira clássica – isto é – descendo do ombro, simplesmente, solto sempre nos movimentos do andar e da dança, pronto para as várias atitudes de repouso? – ou, numa nova faceirice, sobreposto à saia, cingindo as ancas exageradas pelas roupas engomadas, preso quase nas extremidades, de um lado e de outro, de modo a deixar solta uma pequena banda que oscilará ao menor gesto?

Chega a vez dos colares: – não apenas o colar de guia, o fio de miçanga que acompanha a boa baiana toda a vida – mas metros e metros de contas de vidro de todos os tamanhos, de todas as cores, com chispas, cintilações, brilhos e sombras de mil cambiantes, reproduzindo todo o fausto das pedras preciosas, num amontoado monumental, das orelhas aos ombros, imobilizando o pescoço, que dificilmente pode rodar para a esquerda e para a direita, com a solenidade vagarosa de um pescoço de ídolo...

Os braços ficam recamados dessas mesmas contas, salvo se esta cabrochinha tiver comprado braceletes de metal dourado, com recortes e embutidos, que se fecham numa larga placa do pulso ao meio do antebraço, repetindo-se mais acima no alto do braço, numa placa mais estreita, essa comum a todas as baianas de carnaval.

E agora? Estará pronta? Não. Falta-lhe a trunfa – quer dizer – o pano da cabeça, que pode ser igual à saia, ou à blusa, ou completamente diverso. De preferência, porém, fazem-no com o mesmo tecido do xaile. E já não o põem apenas, como aquela baiana velha, dobrado em triângulo, com duas pontas amarradas sobre a nuca, e a terceira flutuando. Não. Enrolam-no como um turbante, escondendo as pontas na frente ou dobram-no de maneira a tornar-se uma espécie de diadema, cobrindo a parte da frente do penteado. Será isso fantasia? Parece antes tratar-se de restos de costumes diversos dos vários povos negros transplantados para o Brasil.

Janeiro - 927.

Sobre essa trunfa não irá o balaio das compras, mas a sua lembrança: um pequenino balaio fixado ao pano, pelo fundo, e contendo pequenas frutas artificiais, ou flores de papel, de aspecto muito decorativo. Em alguns casos, o balaio é substituído por um minúsculo tabuleiro, coberto por uma pequena toalha de renda.

Agora, está pronta a cabrochinha sestrosa, que é como quem diz a mulatinha faceira. Não lhe falta mais que enfiar as sandálias ou as chinelas novas, menores do que os pés, para fazerem o andar saltitante e instável – sandálias de salto muito fino, geralmente pretas, com forro vermelho, umas bordadas, outras pintadas e até às vezes orladas de pluma.

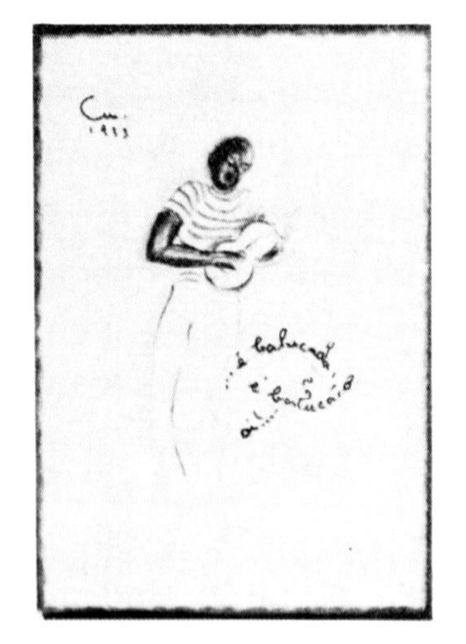
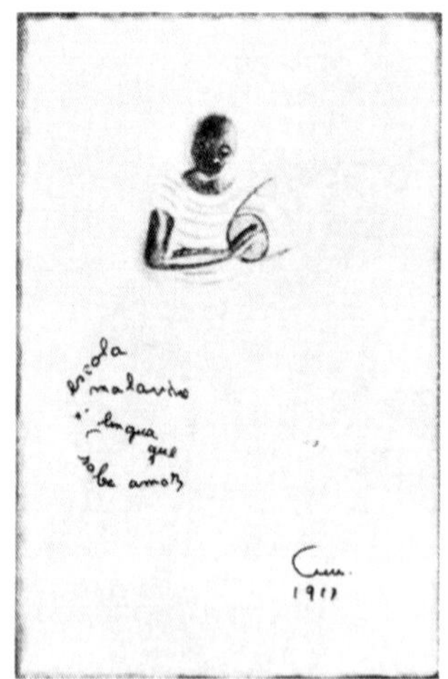

Esta pequena baiana sairá com o seu grupo pelas três horas da tarde, e percorrerão cantando as ruas da cidade, cantando e dançando, com estandartes, taças de vitória dos anos anteriores, animais monstruosos – reminiscências totêmicas? – armados em papelão e pano, palanquins, lanternas de papel – para se acenderem ao escurecer – precedido o cortejo de figuras extravagantes, com a cara pintada de preto, ouro e vermelho, em evoluções de consumada agilidade – e seguido do grupo de músicos, que marcam o ritmo com "cuícas", pandeiros, reco-recos, chocalhos e esse instrumento inesperado e característico que vem a ser o chapéu de palha percutido pelo lado de fora da copa. A música é feita pelos homens; e o parceiro da baiana é o *bamba.*

Cm.
1933

samba do morro
não é samba,
não é nada...

Chama-se a isso um "cordão", porque, para o isolar dos populares, vai uma corda circunscrevendo o grupo.

Na segunda-feira de carnaval, esse grupo invariavelmente passará pela Praça Onze, um dos sítios mais velhos da cidade, na primeira estrada aberta como caminho do paço para a quinta imperial. Aí, pertinho do canal do Mangue, se desenvolve a parte mais curiosa do carnaval carioca. Aí, na multidão compacta se arredondam as rodas de batuque e samba, e dança-se e canta-se – homens e mulheres vestidos com a mesma indumentária de baiana – até as primeiras horas do amanhecer.

BROÇO
FRÔ
DU MÁ
ZAUDÁ I
PEDI
DAZÁJIN
Cm.
1934

Que vêm a ser o batuque e o samba?

Ambos representam, certamente, restos de ritual primitivo. O batuque provirá do ritual de adestramento masculino para as lides de guerra; seus movimentos são martelados e secos, e a coreografia consta da marcha cadenciada de um dos personagens, ladeando a roda que sustenta a música com cânticos e instrumentos, acompanhados de bater de palmas, terminando num golpe de agilidade que deita por terra o companheiro escolhido para o substituir.

Do batuque derivou-se, no Brasil, a escola de "capoeiragem", que vem a ser uma espécie de "jiu-jitsu", de efeitos muito mais extraordinários, na opinião dos entendidos. Por ser uma dança de consequências perigosas – podendo originar conflitos em virtude das quedas violentíssimas e até mortais que provoca, está o batuque, desde muito, proibido pela polícia.

Mas, no carnaval, no reduto da Praça Onze, dançam-no interminavelmente, e como a índole do negro do Brasil é boa e conciliadora, os golpes que usam são apenas esboçados, dando-se mesmo o caso de o dançarino equilibrar com seus braços o parceiro, no mesmo instante em que o desequilibra com o pé. Fica assim frustrada a queda, e o brinquedo continua. Porque a isto se chama, na linguagem deles – "o brinquedo"...

Ô... ô... ôpa!
ôpa!
olha a fuzarca
que hoje não
está sopa!...
Cm.
1933

No brinquedo também está de certo modo compreendido o samba – que é, naturalmente, sobrevivência de ritual de casamento, dado o ar contidamente erótico que conserva. Como o batuque, é uma dança ímpar, executada no meio de uma roda, que igualmente canta, bate palmas e toca tambores, pandeiros, cuícas, caixinhas e chocalhos.

No batuque, o dançarino percorre a roda em passos cadenciados, pousando os pés com cautela um adiante do outro, os cotovelos para trás, a cabeça baixa, o tórax reentrante, os joelhos um pouco curvos – com o ar de quem prepara o golpe fatal, calculado e definitivo. Por duas vezes ameaça o parceiro, prevenindo-o, assim, de que é a pessoa escolhida. À terceira, prostra-o, por meio de um dos inúmeros golpes que conhece, cada um de resultado especial.

u ẽ... ẽ... ẽ...
Eta! moleque
bamba!...
1933

No samba, o dançarino fica no meio da roda, acompanhando a música com uma ondulação característica de todo o corpo e, em especial, das ancas e do ventre, com expressões muito harmoniosas de braços, em gestos ora um tanto exaltados, ora de uma grande suavidade. Por fim, aproxima-se de um dos parceiros, diante do qual desenvolve com mais expressão todos os seus jogos rítmicos, num dos quais, o *parafuso*, o corpo, como acompanhando uma hélice interior, vai-se reduzindo, pouco a pouco, em altura, até deixar o dançarino quase sentado no chão; em seguida, desenrola-se até a altura comum, sem nunca perder nem interromper o ritmo da música.

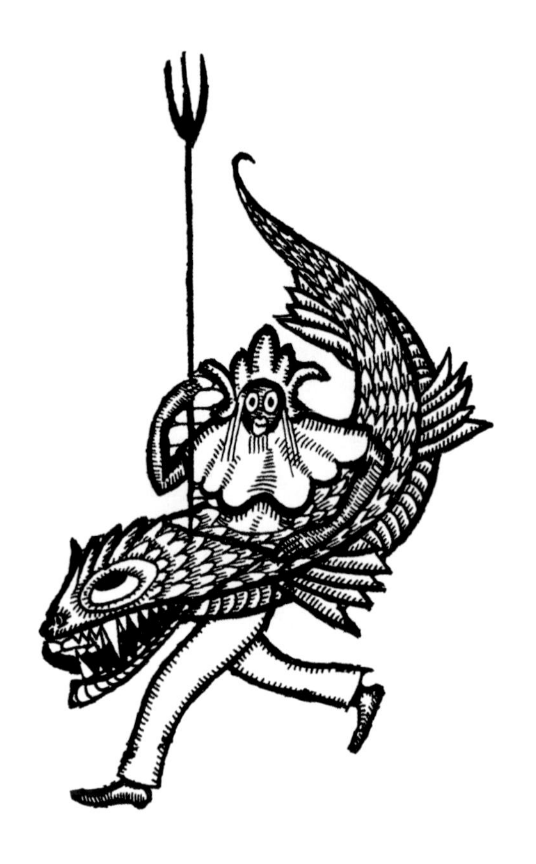

Dentro do carnaval carioca, inegavelmente licencioso e grosseiro, como em toda a parte, na expansão das pessoas habitualmente civilizadas – o carnaval dos negros guarda um aspecto único de respeito, elegância e, digamos mesmo, distinção artística espantosa. O que eles chamam *orgia*, palavra tão frequente nas canções de carnaval dos últimos tempos, é a longa passeata com cantorias e luzes, estandartes e feras de papelão, do subúrbio ao centro da cidade, horas e horas, com descanso nas rodas de samba, copos de cerveja ou refresco e um extenuamento completo, pela madrugada, estendidos nas calçadas entre brilhos de sedas e colares, à espera da condução que os transporte a casa.

É quando se veem, sob o silêncio das longas palmeiras que bordejam o canal do Mangue, ao lado da velha negra de setenta ou oitenta anos, que ainda veio sambar na Praça Onze, a menina e o menino de seis e sete anos, que sambaram, também, como mascote do cortejo – e, na relva do jardim ali perto, estão os pequeninos que ainda mal sabem andar e as crianças ainda de peito, que dormem sobre um xaile, vestidos exatamente como baianinhos em miniatura, os olhinhos fechados sob o turbante colorido, as mãozinhas lassas, mergulhadas, imóveis, numa cascata de miçangas.

Cmo
1933
...é batucada,
é batucada,
oi!... oi!

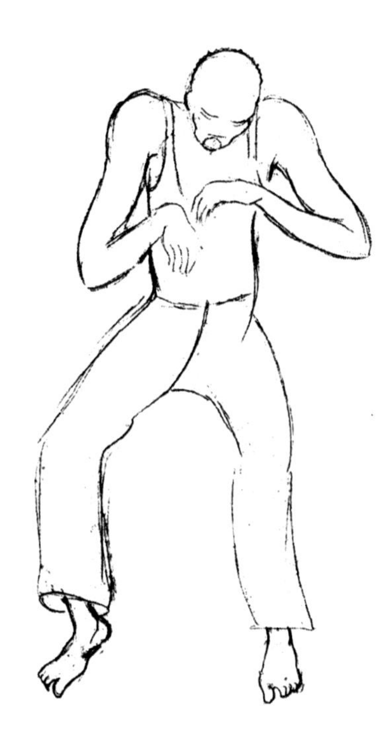

A macumba é uma cerimônia mágica, onde se procura praticar o mal ou o bem. Num dos casos é o *canjerê*, noutra o *candomblé*. O local em que se desenvolve, dentro ou fora de casa, chama-se igualmente *terreiro* ou umbanda. O sacerdote ou sacerdotisa vem a ser o pai ou mãe de santo.

Ao terreiro está anexo um santuário que se chama *canzol*, dentro do qual se encontram os apetrechos e insígnias do ritual, bem como imagens de santos, de aparência católica, que têm sempre dois nomes: o do catolicismo e o seu correspondente na macumba.

Explica-se isso por terem os negros assimilado a catequese por um processo de comparação, identificando as entidades a que estavam habituados com as que lhes iam sendo apresentadas pelos missionários.

Assimilaram, pelo mesmo processo, os deuses dos caboclos com que foram postos em contato, e disso resulta possuírem certos santos até três nomes, como a Virgem Maria, que é Iemanjá e Mãe-d'Água, o que não desvirtua, aliás, aquela a que a Igreja chama também *Stela Maris*...

Cm.

No canzol estão, pois, os santos com os seus emblemas: Xangô, Ogum, Oxosse, com fitas vermelhas, machados, espadas, flechas, etc. – uma vez que tudo os distingue: cores, objetos, substâncias. Iemanjá, por exemplo, tem como emblemas as rosas brancas, a estrela-do-mar, os búzios, os seixos rolados, miçangas brancas ou azuis, fitas da mesma cor.

Se a umbanda é o terreiro físico, onde se desenvolve a macumba, um outro terreiro existe, na imaginação do negro, em plano astral, correspondente àquele, e onde repercute o bem e o mal que nele se pratica, despertando assim as forças sobrenaturais que passam a agir segundo o poder dos feiticeiros, e à sua vontade – sempre que a sua vontade for justa. É o terreiro da *aruanda.*

1979

Os indivíduos pertencem, por nascença, a uma ou outra das legiões em que se dividem os santos, que as comandam. Entre o homem e os santos há uma quantidade de espíritos, bons ou maus, que servem de mensageiros, intercessores, etc. Cada santo tem, ademais dos múltiplos emblemas de que já falamos, uma determinada música e um desenho cabalístico, que servem de ponto de invocação. Chamam-se mesmo *ponto.* Desenhado e tocado, esse ponto promove a manifestação, senão do santo propriamente dito, de um espírito que pertença à sua falange, o qual se põe em contato com os prosélitos, atendendo-os naquilo que for preciso ou possível.

1933

Oxalá é o nome de Deus (provavelmente uma deturpação de *Alá*, por parte das tribos vizinhas da África muçulmana); Exu é o diabo. O negro presta homenagem aos dois, antes das cerimônias, pois seria desastroso que o demônio, aborrecido com a desatenção, prejudicasse os trabalhos que estão sendo oferecidos ou patrocinados por algum santo. E não se estranhe essa prudência. Ainda agora me relembrava um professor, em Coimbra, aquele espanhol que, ao atravessar uma ponte malsegura, dizia alternadamente, a cada passo: "*Dios es bueno... pero el diabo no es malo...*"

Além dos santos e insígnias, dispõe o canzol de uma quantidade de búzios redondos, que têm o nome de *songororô*, destinados a tirar a sorte, por ocasião da abertura das cerimônias, consultando as entidades superiores sobre a possibilidade de sua realização. Sempre que a resposta dos búzios seja desfavorável, a cerimônia deixa de se realizar.

1933

Possui também *fundango*, *pemba* e *malafo*. *Fundango* é pólvora. *Malafo* é a cachaça ou aguardente, que tanto serve às libações como a exorcismos, benzeduras, etc. *Pemba* é uma espécie de giz branco, de composição especial, com que se riscam os pontos e se fazem outros sinais nos emblemas, nos objetos, etc.

O sacerdote é coadjuvado por um sacristão que se chama *cambondo*.

Para se alcançar o grau de *cambondo* e pai de santo, faz-se mister uma iniciação, cujo relato está fora dos limites desta palestra, iniciação em que entram como ingredientes galos, bodes, malafo, etc.

Quer se trate de um canjerê ou de um candomblé, entram sempre em cena os *atabaques*, que são grandes tambores feitos de um tronco cavado, à boca do qual se estica uma pele de pergaminho. O ritmo tem de ser perfeito, para o santo (ou o seu representante) baixar e entrar em conversação com os homens. Por isso, noites a fio, quem mora pelas proximidades de um morro pobre, no Rio de Janeiro, pode ouvir o *quitibum*, *quitibum* dos tambores percutidos horas e horas, no treino paciente dos macumbeiros preparando suas sessões mágicas e suas festas.

As festas são geralmente em honra aos santos, principalmente a S. Sebastião, à Virgem e aos "Dois-dois", que representam S. Cosme e S. Damião. Também podem ser realizadas na passagem da primavera, em pleno mato, próximo a um rio, como ritual de purificação.

Preparam um sítio bem escondido da polícia, roçam-no, isto é, limpam-no de plantas e ervas, enfeitam-no com bandeirinhas de papel, lanternas, flores e aí se reúnem, com seus tambores e trajos litúrgicos, destinados a paramentar aqueles que vão *servir de cavalo* ao santo, quer dizer, àqueles que vão permitir ao santo incorporar--se e manifestar-se. A incorporação dá-se por meio do ritmo. À força de percutir os atabaques de um modo peculiar, conforme a invocação, e cantando-se com uma exatidão rigorosa o ponto que o caracteriza, o santo é forçado a baixar, porque aquele ritmo é a própria forma de vibração da sua divindade. Incorporado, perde o médium toda a personalidade, passando a realizar uma outra, completamente diversa da sua.

Veem-se brancos falando línguas de preto, com esgares, contorções e passos de dança impossíveis de executar em condições normais. Faz-se uma libação de malafo com folhas de fumo e outros ingredientes em infusão, fuma-se charuto ou cachimbo. O copo passa de boca em boca – e representa uma verdadeira comunhão. O santo aconselha, exorta, agradece homenagens, recomenda pequenas oferendas: uns tantos metros de fita, da cor que o simboliza, e tantos charutos ou garrafas de cerveja atirados no mato ou na praia; ensina remédios, geralmente banhos de ervas, que depois são abandonadas nas encruzilhadas, água de sereno, chás caseiros e *simpatias*, que vêm a ser pequenas operações mágicas, como, por exemplo, enterrar um mamão num determinado sítio, para curar uma tosse rebelde, ou amarrar ao pescoço de uma criança um pedaço de casca de abóbora para lhe facilitar a dentição.

A caricatura desses pequenos pedidos ingênuos, que constituem casos muito importantes para a vida do negro, motivou um dos mais interessantes poemas de Jorge de Lima – "Diabo brasileiro" – em que o macumbeiro promete uma porção de ofertas com a esperança de conseguir ganhar dinheiro no jogo do bicho (a dezena do carneiro), comprar sapato de verniz, capa de borracha e casar com a Zefa.

Nos casos mais graves, a macumba propõe-se causar o mal. Sabe, porém, que o seu poder não é absoluto, estando as criaturas virtuosas, só pelo fato de o serem, fora do seu alcance mágico. O mal a causar varia sempre, como a própria vida, entre os extremos do amor e da morte. E quando se vê, numa encruzilhada, uma galinha preta (o preto é a cor de Exu, que é o diabo), recheada com farofa amarela, uma vela toda espetada de alfinetes, uma bonequinha de pano com uma agulha enterrada no lugar do coração, alguns charutos e uma panela de barro quebrada contendo um certo número de vinténs, as pessoas supersticiosas passam de largo, porque já sabem que aquilo é uma *muamba*. As crianças, porém, geralmente apanham, pelo menos, o dinheiro para comprar balas, isto é, rebuçados. É natural que a muamba não lhes cause dano, porque tem um objetivo certo, e visa uma determinada pessoa. Quanto ao *despacho*, restos das ervas dos banhos, que se abandonam nas encruzilhadas, esses podem, segundo os entendidos, comunicar aos que os tocarem o mal que retiraram dos outros.

O que há de verdade na macumba não sei. Há tanta coisa mal estudada neste mundo! As virtudes das plantas, principalmente da flora tropical, estão longe de ser conhecidas. As forças hipnóticas, a sugestão, todo esse mundo do espírito é ainda um enigma para os mais sábios dentre os cientistas.

Um pequeno poema de Manuel Bandeira exprime bem tudo quanto se pode concluir, pela experiência:

Macumba de Pai Zusé

Na macumba do Encantado[3]
Nego véio pai de santo fez mandinga
No palacete de Botafogo[4]
Sangue de branca virou água
Foram vê estava morta!

---

3 Subúrbio do Rio de Janeiro.

4 Bairro aristocrático do Rio de Janeiro.

Cm.
1934

Se a macumba como magia negra infunde esse respeito terrível que só não experimentaram os que não tiveram ocasião de a frequentar, de sentir o ritmo surdo e implacável dos tambores – *quitibum, bum, quitibum, bum* – na noite negra, com cânticos de um trágico inenarrável, figuras numa vertigem sinistra, dançando entre explosões de pólvora, brilhos de fogo, lâminas de espadas, caindo desacordadas, e reerguendo-se como fantasmas, numa expressão sobrenatural, com uma outra voz e uns outros olhos – a macumba em seu aspecto festivo (atenuados esses caracteres sombrios) tem uma doçura selvagem, é certo, mas que deixa na alma dos brancos, pelo menos na daqueles que foram acalentados por uma mãe negra e dormiram ao som dos tambores longínquos, um encantamento profundo, de onde se exala o torpor misterioso, e a invencível atração da selva africana, povoada de deuses e demônios, tão autênticos como a água dos rios, os troncos das árvores e as feras que passeiam, sem dizerem aos homens de onde vêm nem quem são.

Traduzem, além disso, a saudade do negro pela choça dos seus antepassados, o *banzo* da ausência sem volta, a melancolia da vida que o Atlântico partiu – e que o bom brasileiro acolheu em sua alma com ternura, para consolar o antigo escravo e antiga ama, que lhe encheram a infância de lendas e cantigas e deixaram seu sangue na terra que plantaram – seu coração nos berços que moveram e a última esperança num mundo mais feliz, na *Aruanda* do sonho, que a música e o fumo da macumba permitem às vezes entrever.

Imprensa

Exposição
Cecília
Meirelles

NOTAS DE ARTE

Exposição Cecilia Meirelles

Como já é do dominio publico, Pró-Arte realiza no sabbado de Alleluia uma "Noite de Samba" com o concurso da Escola "Portella". Ao mesmo tempo, realizar-se-á a abertura de um interessantissima exposição de Cecilia Meirelles, fixando os rythmos do samba atravez de uma grande collecção de desenhos, aquarellas e estudos, bem como as figuras typicas da bahiana e do bamba. Certamente, será interessante a comparação entre a concepção artistica da original pintora e os modelos vivos do samba, cantado e dansado pelos membros daquella escola. A exposição, nessa noite, será dedicada exclusivamente aos convidados da "Pró-Arte", mas na proxima segunda-feira, ás 16 1/2 horas, haverá a ceremonia official de "vernissage" para a qual Cecilia Meirelles reunirá, no elegante salão, os representantes da imprensa, artistas e intellectuaes.

Cecilia Meirelles

A partir de terça-feira, das 11 ás 17 horas, a exposição ficará franqueada á visita do publico.

PROPAGANDA nas artes

Os jornaes vem registando, desde o primeiro dia, o successo obtido pela sra. Cecilia Meirelles que, na séde da Pró Arte, expoz alguns dos seus trabalhos.

D.C.MEIRELLES

Sendo a critica uma das modalidades da propaganda, tanto mais valiosa, quanto mais indirecta, não se pode dizer que, em torno dessa mostra de arte não tenha movido uma excellente publicidade, de accordo, aliás, com os méritos da artista.

Cerebração privilegiada, de extraordinaria sensibilidade, a sra. Cecilia Meirelles viu, sentiu e fixou aspectos interessantissimos do nosso "folk lóre", surprehendendo, com agilidade, cores e movimentos.

ARTE RETROSPECTIVA — D. Cecilia Meirelles, poetisa e educadora, inaugurou na "Pró-Arte" a sua interessante exposição de desenhos de arte retrospectiva. Ao alto, alguns dos presentes a esta inauguração e em destaque, a consagrada artista em "pose" especial para "O Malho".

1933

BAHIA

POLONIA

Exposição de folclore por livre iniciativa de
Cecília Meireles
1948

Instala-se amanhã o I Congresso de Folclore

Terá como objetivo a emulação do estudo dos nossos mais remotos costumes e, muito em particular, procurará dissipar a confusão até agora reinante, no Brasil, com respeito ao termo "Folclore", principalmente no domínio da música popular — A escritora Cecilia Meireles fala à reportagem de A NOITE, sôbre o assunto

Escritora Cecília Meirelles

A Comissão Nacional de Folclore instalará amanhã, no Rio, o Primeiro Congresso de Folclore, contribuindo, assim, para estimular o estudo das nossas mais remotas reações e, sobretudo, dissipar a confusão que até hoje se faz no Brasil, com relação ao termo e ao assunto, particularmente no domínio da música popular, sempre a misturar alhos com bugalhos.

Cecília Meireles é uma das pioneiras do movimento que teve como consequência a criação da Comissão Nacional de Folclore, e ninguém melhor do que ela poderia fornecer aos nossos leitores informações completas sôbre o Congresso. Cecília reside em Laranjeiras e com o seu bom gosto de escritora, construiu a moldura própria para a sua vida:

(CONTINUA NA 10.ª PÁGINA)

•

Instala-se, amanhã, às 17 horas, no Itamarati, o I Congresso Brasileiro de Folclore, e inaugura-se, depois de amanhã, no Museu Nacional, a Exposição de Artes Populares.

Instala-se, amanhã, o I Congresso de Folclore

CONTINUAÇÃO DA ÚLTIMA PÁGINA

a sua casa no fresco e verde caminho do Corcovado.

Alma de poeta, tudo no ambiente de Cecília Meireles, respira poesia. Desde o arranjo estético das pedras brancas que pontilham o gramado do seu jardim, até as côres suaves dos seus estofos, a sobriedade dos móveis coloniais, seus canapés de palhinha. Nesse conjunto está o reflexo de sua personalidade, fina e atraente.

E' aí que a encontramos e a entrevista começa, por assim dizer, pela história da Comissão Nacional de Folclore.

— Há vários anos, a Comissão Nacional de Folclore do IBECC vem trabalhando discreta mas sistemàticamente, como é próprio dos trabalhos de cultura. O público em geral apenas tem notícia das suas reuniões, e vê pelos jornais o resumo dos assuntos nelas tratados. Mas os especialistas, ou os que por ela se interessam mais de perto, sabem que se tem procedido a uma penetração vagarosa por todo o Brasil, sugerindo e obtendo a coleta de elementos que iam sendo esquecidos ou desprezados, estimulando o seu estudo, procurando, enfim, resguardar costumes e tradições que nos são caros, pois representam o nosso patrimônio de povo.

As Semanas de Folclore

Há três anos, os resultados desse paciente trabalho de que têm participado brasileiros de todos os pontos do país, por intermédio das sub-comissões estaduais, vêm sendo apresentados, no mês de agosto, na chamada "Semana Folclórica".

A primeira dessas "Semanas" se realizou no Rio, em 1948, com um programa de conferências, concertos, exposição de arte popular, etc. A segunda e a terceira "Semanas" foram realizadas, respectivamente, em São Paulo e em Porto Alegre, com programas idênticos.

A "Semana Folclórica" de 1951 deve realizar-se em Maceió; mas, excepcionalmente, não será este mês, mas em dezembro, pois, neste mês de agosto, teremos o Primeiro Congresso de Folclore, que, como se vê, resulta do desenvolvimento das atividades da Comissão Nacional.

Verificou-se a necessidade de assentar bases para certos estudos a serem feitos entre nós, no campo folclórico. A matéria é vasta, e muitas são as confusões existentes. E' preciso disciplinar a pesquisa. E como êste ano coincidem quatro centenários de floclористas — Manuel Querino, Pereira da Costa, Silvio Romero e Valle Cabral — os pioneiros da matéria, no Brasil, julgou-se oportuno o aproveitamento da data, para essa reunião de trabalho.

Então perguntamos:

— Acredita que poderá o Congresso resultar benéfico aos estudos e pesquisas?

— Acho que todos os Congressos conduzem sempre a dois resultados: o melhor conhecimento dos assuntos de que tratam, e das pessoas que deles se ocupam.

O temário dêste Congresso abrange estudos de Técnica Geral de Folclore, com os seus inúmeros capítulos, e estudos especializados de Poesia Popular, Novelística, Crendices e Superstições, Artes populares, etc., bem como a aplicação do Folclore, ou seja a sua contribuição às Letras, às Belas Artes, à Educação e ao Turismo.

Sôbre os diversos pontos dêsse vasto temário, foram apresentadas mais de cem teses, memórias, sugestões, etc., que serão relatadas, debatidas e, as mais importantes, publicadas.

Ora, tudo isso representa uma palpitante revisão da matéria, a que a presença dos congressistas dará aquele interêsse humano, aquele clima de simpatia que tanto concorre para facilitar êsses trabalhos, essencialmente de equipe.

Além disso, a apresentação de certos aspectos vivos do nosso folclore e a exposição de arte popular poderão completar o retrato do Brasil, tornando-o mais conhecido dos próprios brasileiros em sua versão autêntica.

— Que julga da proteção à nossa arte popular? Pensa que o Congresso pode realizar alguma coisa nesse sentido?

— A proteção à arte popular é assunto dos mais úteis e urgentes. Na verdade, também, dos mais difíceis, pois, no estado em que se encontram as coisas, a tendência é convertê-la em indústria — exatamente o oposto do que se deve aconselhar.

Várias teses e sugestões foram apresentadas ao Congresso, sôbre êsse tema. Creio que o Congresso dispõe de elementos para debater judiciosamente a questão, e colocá-la nos seus verdadeiros termos, o que favorecerá as soluções posteriores.

— Como acredita que o Folclore possa ser um elemento favorável ao Turismo?

— Em geral, quem viaja como turista deseja ver «coisas diferentes», conhecer outros costumes, outros estilos de vida, enfim, sentir como os outros povos reagem diante dos mesmos estímulos. Facilitar ao turista essas peculiaridades populares é, sem dúvida, colocar o Folclore a serviço do Turismo. Também há o viajante erudito, que procura a lição popular não como distração, mas como contribuição de estudo. O Folclore, nesse caso, proporcionará ao Turismo os elementos genuínos de informação. Até aqui tem havido muita confusão sôbre o termo «folclore» — especialmente em música. O Congresso tratará de definir com precisão o que é folclórico, de modo a defender o leigo de certas impropriedades que, embora, aparentemente de pequena importancia, afetam, no entanto, a nossa estrutura nacional, por inúmeros mal entendidos. Só isso daria razão de ser à Comissão Nacional de Folclore, e justificaria êste Congresso.

1951

"Eu não vim aqui, propriamente, como uma especialista na matéria. Eu vim como uma pessoa que, cansada de buscar caminhos para que os homens se entendam em outros setores de atividades intelectuais, procura, no folclore, talvez um caminho mais ameno, talvez um caminho mais possível.

"Procurando que os homens encontrem no folclore a solução para muitos de seus problemas pela compreensão das suas origens, da sua identidade, daquilo que neles é transitório e também daquilo que neles é permanente."

Palavras iniciais do discurso pronunciado por Cecília Meireles na III Semana de Folclore, Porto Alegre, 1950.

meu primeiro amo me abandonou sem ter a razão!

Cm.
1933
ser amado . eu já jurei . E nunca te darei . . . perdão . . .

Índice das imagens

36 Baiana levando banquinho à cabeça.
Aquarela, nanquim e grafite sobre papel, ass., 14 x 18,5 cm. (Reversão para preto e branco.)

37 Baiana sambando.
Aquarela, nanquim e grafite sobre papel, 25 x 38 cm.

38 Estandarte de cordão carnavalesco.
Detalhe reduzido da ilustração nº 13 da separata "Batuque, samba e macumba", da revista Mundo Português, *Lisboa, 1935.*

39 Baiana de carnaval.
Nanquim e grafite sobre papel, 16 x 25,5 cm.

40 Baiana sambando (no momento em que escolhe quem a substitua na roda).
Redução da ilustração nº 8 da separata "Batuque, samba e macumba", da revista Mundo Português, *Lisboa, 1935.*

41 Baiana.
Aquarela, nanquim e grafite sobre papel, ass., 18 x 28 cm.

42 Baiana no primeiro momento do samba.
Redução da ilustração nº 6 da separata "Batuque, samba e macumba", da revista Mundo Português, *Lisboa, 1935.*

43 Baiana segurando o xale.
Aquarela, nanquim e grafite sobre papel, ass., 18 x 28 cm.

44 Colares e pulseiras.
Aquarela e grafite sobre papel-cartão, 18,5 x 26,5 cm.
(Detalhe reduzido e revertido para preto e branco.)

45 Baiana de carnaval.
Aquarela, nanquim e grafite sobre papel, ass., 1933, 32 x 47 cm. (Redução.)

46 Figura de negro, de perfil.
Nanquim e grafite sobre papel, ass., 5 x 19,5 cm. (Redução.)

47 A trunfa.
Aquarela, nanquim e grafite sobre papel, janeiro 1927, 27,5 x 37 cm.

48 Sandálias de salto.
Detalhe da ilustração 37.

49 Baiana.
Aquarela, nanquim e grafite sobre papel, ass., 18,5 x 28 cm.

50 Sambistas com cuíca, reco-reco e chocalho.
Ilustrações da página nº 2 da separata "Batuque, samba e macumba", da revista Mundo Português, *Lisboa, 1935.*

51 Sambista com pandeiro.
Carvão, pastel e grafite, ass., 1933, 18,5 x 28,5 cm.

52 Porta-estandarte de bloco.
Detalhe da ilustração 53.

53 "Brocó Frô du Má."
Nanquim e grafite sobre papel, ass., 1934, 26 x 32,5 cm.

54/55 Samba de roda.
Nanquim e grafite sobre papel, 38 x 28 cm. (Desenho inacabado.)

56 Vários passos do batuque.
Ilustração nº 3 da separata "Batuque, samba e macumba", da revista Mundo Português, *Lisboa, 1935.*

57 Sambista.
Carvão, pastel e grafite sobre papel, moldura em aquarela, ass., 1933, 18,5 x 28,5 cm.

58 Sambista com pandeiro.
Aquarela e grafite sobre papel, novembro 1926, 18 x 20 cm.
(Redução e reversão para preto e branco.)

59 Casal de sambistas.
Aquarela sobre papel-cartão, 31 x 27 cm. (Reprodução recortada.)

60 Vários passos do batuque.
Ilustração nº 4 da separata "Batuque, samba e macumba", da revista Mundo Português, *Lisboa, 1935.*

61 Sambista.
Pastel, carvão e grafite sobre papel, moldura em aquarela, ass., 1933, 18,5 x 28,5 cm.

62 Estudos de gesto e ritmo.
Grafite sobre papel, 16 x 8 cm. (Redução.)

63 Baiana sambando.
Aquarela, nanquim e grafite sobre papel, 19,5 x 31,5 cm.

64 Folião com alegoria.
Detalhe da ilustração 53.

65 Sambista descansando.
Aquarela, nanquim e grafite sobre papel, ass., 28 x 18,5 cm. (Retiradas as laterais da moldura.)

66 Velha negra.
Nanquim sobre papel, 14,5 x 14 cm. (Legenda no original.)

67 Sambista com cavaquinho.
Carvão, pastel e grafite sobre papel, moldura em aquarela, ass., 1933, 19 x 28 cm.

68 Estudo de gesto.
Grafite sobre papel, 17,5 x 25 cm. (Redução.)

69 Figura de mulher.
Aquarela sobre papel, ass., 1933, 17,5 x 25 cm.

70 Riscando ponto.
Pastel sobre papel, 1933, 20,5 x 26 cm. (Reversão para preto e branco.)

71 Estudo de gesto.
Aquarela e nanquim sobre papel, assinatura e data em grafite, 1929, 18,5 x 27,5 cm.

72 Riscando ponto.
Pastel sobre papel, 1933, 20,5 x 26 cm. (Redução e reversão para preto e branco.)

73 Negro dançando.
Aquarela e grafite sobre papel, ass., 1933, 15,5 x 25 cm.

74 Figura de negro.
Aquarela e nanquim sobre papel, 21 x 27,5 cm. (Redução e reversão para preto e branco.)

75 Estudo de gesto.
Aquarela, nanquim e grafite sobre papel, ass., 1933, 18 x 22,5 cm.

76 Pai de santo.
Aquarela e grafite sobre papel, fevereiro 1926, 6,5 x 12 cm. (Redução e reversão para preto e branco.)

77 Cabeça de negro.
Aquarela sobre papel, 30 x 35,5 cm.

78 Passo de macumba.
Ilustração nº 12 da separata "Batuque, samba e macumba", da revista Mundo Português, *Lisboa, 1935.*

79 Figura de mulher.
Aquarela e grafite sobre cartão, ass., 1933, 17,5 x 25 cm.

80 Baiana.
Aquarela e grafite sobre papel, ass., 1937, 12 x 23 cm. (Reversão para preto e branco.)

81 Estudo de gesto.
Aquarela, nanquim e grafite sobre papel, 25 x 17,5 cm.

82 Cabeça de negra.
Giz colorido e pastel sobre cartão cinza, ass., 1932, 16 x 24 cm. (Reversão para preto e branco.)

83 Cabeça de negro.
Aquarela sobre papel Fabriano branco, 28,5 x 36,5 cm.

84 Ritmo de macumba.
Ilustração nº 11 da separata "Batuque, samba e macumba", da revista Mundo Português, *Lisboa, 1935. (Redução.)*

85 Estudo de gesto.
Aquarela sobre papel Fabriano branco, 25 x 35 cm.

86 Menino com cesto à cabeça.
Aquarela, nanquim e grafite sobre papel Catastron, 15 x 19 cm. (Reversão para preto e branco.)

87 Estudo de gesto.
Aquarela, nanquim e grafite sobre papel Fabriano, 25,5 x 35 cm.

88 Estudo de gesto.
Aquarela, nanquim e grafite sobre papel Sholler, 21 x 27,5 cm. (Redução e reversão para preto e branco.)

89 Estudo de gesto.
Aquarela e grafite sobre papel Fabriano branco, moldura em relevo seco, ass., 1934, 33,5 x 48 cm.

90 Estudo de gesto.
Nanquim e grafite sobre papel, 21 x 27,5 cm. (Redução.)

91 Estudo de gesto
Aquarela e grafite sobre papel Fabriano branco, 33 x 48 cm.

92 Negro sentado.
Aquarela e nanquim sobre papel, 21 x 27,5 cm. (Reversão para preto e branco.)

93 Estudo de gesto.
Aquarela e grafite sobre papel Fabriano branco, 33 x 48 cm.

94 Pequeno jornaleiro.
Aquarela, nanquim e grafite sobre papel, 11 x 19 cm.
(Com legenda autógrafa no original: "Mulher mata marido!")

95 Autógrafo de Cecília Meireles, em nanquim sobre papel Fabriano. Capa do caderno de assinaturas da exposição de 1933, na Pró-Arte, 32,5 x 50 cm. (Detalhe.)

96.1 Recorte do jornal *A Nação*, Rio de Janeiro, 13 de abril de 1933.

96.2 Recorte datado por Cecília Meireles: "Rio, 29 de abril de 1933". (Sem indicação do jornal.)

96.3 Página da revista *O Malho*, Rio de Janeiro, 29 de abril de 1933, com fotos da exposição dos desenhos de Cecília na Pró-Arte, em 1933. *(Redução.)*

96.4 Inauguração da exposição na Pró-Arte, em 18 de abril de 1933.

97 Cecília Meireles e seus desenhos; sobre a mesa o álbum de visitantes da exposição, contendo, entre outras, as assinaturas de Renato Almeida, Ribeiro Couto, Andrade Muricy, Tasso da Silveira, Mozart Araújo, Carlos Lacerda, Marques Rebelo, Estela Guerra Duval, Barreto Filho, José Geraldo Vieira, Antenor Nascentes, Olegário Mariano, Luiz Heitor Correa de Azevedo, Alcides Rocha Miranda, Roberto Burle Marx, Candido Portinari, Celso Antonio, Lélio Landucci, Edson Motta, Guignard.

98.1-4 Peças de artesanato de Portugal, Bahia, Polônia e México da exposição de folclore organizada por Cecília na sua residência, em 1948.

98.5 Fotografia de baianas em seus trajes típicos, constante da exposição de folclore.

99 Inauguração da exposição de folclore realizada por Cecília em sua casa, de 16 a 18 de março de 1948.

100 Recorte do jornal *A Noite*, Rio de Janeiro, 21 de agosto de 1951.

101 Participantes do I Congresso Brasileiro de Folclore, realizado no Rio de Janeiro, de 22 a 31 de agosto de 1951. Na primeira fila, Cecília Meireles (quarta a contar da esquerda) ao lado de Renato Almeida, respectivamente Secretária-Geral e Presidente do Congresso.

103 Cecília Meireles no jardim de sua casa no Cosme Velho.

104/105 "O meu amor me abandonou sem ter razão..."
Aquarela, nanquim e grafite sobre papel, ass., 1933, 67 x 37 cm.